개를 낳았다

시즌Ⅱ 이별부터 만남까지 3

이선 만화

SEOUL
MEDIA
COMICS

〈 등장 캐릭터 〉

🐾 김다나

반려견 초상화가.
첫 반려견인 명동과 행복하게 살고 있다.
멘탈이 약하고 주위에 많이 휩쓸리지만
조금씩 내면이 성장하고 있다.
명동이를 너무너무 사랑한다.

🐾 김나라

파티쉐.
다나의 동생이며 명동이의 작은엄마이다.
기가 세 보이지만 여리고 약간 철이 없다.
현실적으로 보이지만 혼란스러울 때는
한없이 약해진다.

🐾 김명동

파티 포메라니안 남아 (중성화)
세상에서 제일 예쁘고 귀엽고 사랑스럽다.
장난기가 많고 식탐은 강하지만 몸은
약해서 가족들이 걱정이 많다.

엄마

여리고 감성적이다.
첫정이었던 반려견 덕진이를
허무하게 떠나보낸 적이 있다.
가족들에게 한없이 지극정성이다.

🐾 아빠

과묵하고 항상 웃고 다니신다.
가족들을 사랑하지만
으뜸은 아내 사랑.

🐾 민영

다나의 반려견 동료이자
강아지 유치원 선생님.
유기견 구조를 많이 해서
대모님이라는 별명이 있다.
반려견 노이를 노화로 떠나보낸 후
개인적으로 유기견들을 구조,
임시보호하고 있다.

개
좋아하세요?

네.

저희 누나도
개를 키웠는걸요.

다나 씨도
키우세요?

포메는
김명동,
코기는
가야예요.

지금 저희가
키우는 애들이에요.

이렇게 예쁜데
김명동이라니
명동에서 데려왔어요?

네.

아하하.

왜 포메는
성이 있는데 코기는
성이 없어요?

그 애는
임시보호견이거든요.

임시보호…?

유기견을
저희 집에 데려와서
입양 갈 때까지
돌봐주는 거예요.

유기견을요?
대단하시네요!

저희 누나네 개 보여드릴게요.

누나가 자취하면서 키웠던 룰라예요.

와~~ 너무 예쁘네요.

근데…
키웠었다면…
지금은 없는 건가요?

네.

누나가 시집가면서 다른 곳에 보냈어요.

가끔 부모님댁에
데려오곤 했었는데
정말 귀여웠어요.

근데 부모님은
개를 안 좋아하시고
저도 키울 만큼
좋아하는 건
아니라서요.

다나 씨는 결혼하면
어디로 개를
보내실 거예요?

부모님 댁?
아니면 동생이
데리고 가나요?

…저는
애를 제 아들로
데려온 거라서요.

잠시 가족에게
맡기는 일이
있을 순 있겠지만

다른 곳에 보낸다는
선택지 자체가 없어요.

네,

뭐….

그건 그렇게 중요한 게 아니니까요.

다른 이야기할까요?

다나 씨는 무슨 영화 좋아하세요?

이후에 어떤 이야기를 했는지 잘 기억 나지 않는다.

별거 없이 금방 헤어졌다.

엄마 왔다~

어디 갔다 왔어!!

왔냐!!!

땅 땅 땅 땅

푹 슝

오구 내 새끼, 오구 내 새끼들.

뻑 뻑

쭈 아아아앙

엄마 옷 갈아입고 산책할까잉~~

오늘 어땠어?

이렇게 빨리 온 거 보면 모르겠어?

왜에에에? 나온 사람이 별로였어?

왜 기뻐해?!

잘생기고 성격도 좋은 거 같은데…

나랑 안 맞더라.

조금 안 맞는 정도면 몇 번 더 만나 보지?

다른 거였다면 몰라도 개에 대한 관점이 다르더라고.

쿵쿵

15

그 사람은
개는 개라고 생각하는지
결혼하면 다른 곳에
보내도 된다고
생각하더라고.

나한테 개는
가족이니까
그건 말도
안 되는 일인데.

개에 대한
'인식'이 다른 거는
어쩔 수 없잖아.

서로에게
맞출 문제는
아닌 거 같아.

할짝 할짝

괜히 억지로
맞추려 했다간….

결혼하면 이사도
해야 할 거고

배우자뿐만 아니라
그쪽 가족도
생각해야 할 것이고

나중에
애를 낳는다면
그 이후도
생각해야 할 거고.

결혼하면 '함께'가
되는 거니까

혼자 열심히 한다고
해결되지 않는 거
투성일걸.

개 키우기
정말 어렵다….

명동이를 키우면서
많은 것을 생각한 거 같았는데,

생각하고 생각해도
생각할 게 계속 나와.

'개를 책임진다'라는
이 짧은 말이
이렇게 무거운 거였구나.

엄마,
어제 선보면서
느낀 건데~

난 선은
안 맞는 거 같아.

그냥 일상에서
자연스런 만남을
추구할게요~

몇 번 더 해보지
한 번 만나보고
그렇게 단정 짓냐.

나중엔 하고
싶어도 못 한다?

그럼 그것대로
상관없어.

결혼이란 게 행복해지려고 하는 거 아냐?

근데 나는 지금도 행복한걸.

좋은 인연이 있으면

언젠가, 어디선가 만나겠지.

그러니까 굳이 소개 안 시켜줘도 돼요~

이 녀석 선 한 번 보고 방전됐군.

그래도…

뭐… 그래.
그러면 그런 거지.

방구석 폐인이었던
다나가 지 입으로
행복하다는데.

내 애들 다
오동통하고 웃으며
살면 됐어.

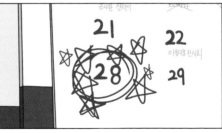

가야야

진정해에

이제 유기견 케어의 문제가 아니라

웰시코기를 어떻게 돌보느냐가 문제겠는걸.

심장 사상충 치료도 막바지니 슬슬 가야 입양 문의도 들어오겠지.

나라야,
저쪽으로 가자.

응?

햐ㅡ

명동이네
오랜만이네요!

못 보던
개가 있네.

설이가 입양 간 후

밀당하자~

설이 구조 19

지금 강아지
산책하시는 분?

저희 지금 음수대 쪽에 있어요.
같이 산책해요~

그분들은 거의 매일
1~2시간씩 시간을 내어

설이네
산책을 도와주었다.

덕분에 설이는
입양 후 2달 동안
아무 일도 없이 잘 지냈다.

하지만
내가 마음에 걸리는 건….

안녕하세요.

그 애가 임시보호한다던 애예요?

으르릉

애 좀 안아주실래요?

흑미가 암컷을 싫어해서요.

둘 다 동성한테 가차없네.

예쁜 아가씨~~~

산책 끝나면 설이네에서
차 마실 건데
명동이네도 올래요?

다른
설이 구조대도
올 거예요.

한눈
팔지 마!!

아… 아니에요.
전 일이 있어서요.

명동이네
너무 비싸네~
시간 좀 내요.

나중에요~

우리한테 웰시코기
입양 홍보도 하면
좋잖아~

찌릿

활짝

홱

안녕? 설이야, 잘 지내?

표정이 좋네~

잘 지내죠, 당연히!

자기도 모르게 지옥으로 갈 뻔한 거 천국으로 갔는데.

…어찌 됐든 저는 설이가 잘 지내면 됐어요.

33

저희는 마저 산책할게요.

그래요~

가시죠~ 우리도 마저 산책해요.

네…

가요~ 대모님!

움 찔

나 저 사람들 불편해…

응?

이 공원…

내가 마지막으로 다녔던 회사랑 비슷해지고 있어.

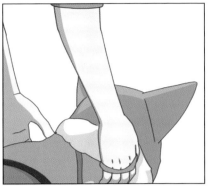

다음 날

나
일 다녀올게.

잘 다녀…

악!!!
가야야!!

다치면
어쩌려고!!!

에에엥
산책애애액~~

어제 산책이
너무 좋았나 보다.

그래,
산책 가자.

언니 혼자서
명동이랑 가야
산책할 수 있겠어?

후훗.

3보 1큭가가
이렇게 편하다니…

명동이랑 가야는
텐션이 너무 달라서
같이 산책할 수 없겠는걸.

위험하니까
한동안 가야 산책은
공원에서만 하자.

!·#·!·@·#

!#@#!!

파… 파이팅.

이… 이
연속 산책견!!!!

아…
주… 죽겠다.

이렇게 뛰는 걸
좋아하는 애가
어떻게 지금껏
갇혀있었을까.

우리 가야가
이렇게 예뻐요~

가야야,
잠깐만~

입양홍보에 넣을
사진 한 장만~

현미하고 흑미가
자꾸 설이에게
눈치를 줘서

집에선
설이 기가 팍
죽어있어요….

그래서 설이만
더 밖으로
데리고 나와요.

예쁜 아가씨
데이트 한 번만…

굽
신

굽
신

우리 불쌍한
설이…

유기견 때 상처
다 잊을 수 있도록
제가 더 잘해줘야죠.

음…
강아지 성비 이유도
있을 거예요.

저희 애도 전에
남자애 임시보호할 때
엄청 싸웠어요.

임시보호가
이번이 처음이
아니에요?

흥!

그렇게
오래는 아니었어요.
겨우 이 주였어요~

한다는 게
대단한 거죠!!

그땐
어땠어요?

이분
다른 견주들이랑
같이 있을 땐
불편했는데

일대일로 대하니
편하네….

전 이제
시바 애들
산책하러 갈게요.

세 마리 산책
힘드시겠네요.

몽이네랑 닥훈이네가
도와주니까 괜찮아요!

나중에 공원에서
또 봐요.

네~ 다음에
또 봐요~

왜 안 들어가. 세 시간이나 산책했잖아?

어휴, 냅두면 언제까지고 산책하려고 한다니까…

이리 온.

현미야~ 흑미야~

나 왔어~

헥

헥

헥

헥

너흰 이제
형제잖아.

왜 그래,

모두 사이좋게
지내야지.

안 돼. 현미!

설이는 산책 많이 했는데 굳이 같이 산책시켜야 할까요?

애들은 같이 있는 걸 싫어하는 거 같은데요….

서로 안 친하니까 더더욱 같이 산책시켜야죠.

밖에서 친해져야 집에서도 잘 어울릴 거구요.

지금은 가족이 된 지 얼마 안 돼서 서먹서먹하지만,

이것저것 같이 하다 보면 금방 친해질 거예요.

저희가 열심히 도와드릴게요!

설이의 행복을 위해!

가야 운동 해금
1주일째

뇌…
뇌 파일 뻔
했네….

나 출근 때
산책 가는 걸로
배워버렸나 봐.

작은 엄마
안뇽!

우와….
언니 얼굴
다 익어버렸네.

가
야
아!!

오전
가야 산책 2시간

명동이 산책
30분

끄
악

오후
가야 산책 2시간

쭈
ㅡ
욱

명동이 산책
30분

얼굴 타서
따가워….

으…
근육통….

우째….

일은 하고
있는 거야?

응…. 아직까진
어떻게 어떻게
하고 있어.

아무리 그래도
계속 다섯 시간씩
산책하는 건
힘들잖아···.

또
너무 열심히 해서
쓰러지지 않도록
조심해.

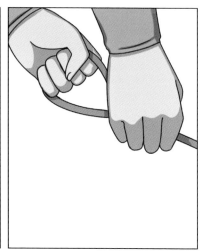

햇빛 차단
팔토시

썬크림

쿨 스카프

썬캡

처음 며칠만 흥분하고
점점 얌전해질 줄 알았는데…

어째 흥분이
나날이 더 심해지잖아.

가야야!
그쪽 길로 가면
역방향이야.

크
흘
헬
헬

우리보다
더 심하잖아.

설이 입양하신지
두 달이나 됐는데
계속 저 상태라니….

가야야!
그쪽 길로 가면
한 시간 더 돌아야 해!

이
야
아아아

끼잉…

지잉

오전 산책은
여기까지 하자.

명동이도
산책해야지.

역시 매일 이렇게 하는 건 무리야.

나도 일을 해야지…

명동!

화단엔 들어가는 거 아냐. 내려와.

옳지, 우리 명동이는 말 잘 듣네.

싹

가야가 명동이처럼 산책이 되면 둘이 같이 산책할 텐데…

개별 산책 한 번씩 공동 산책 한 번씩만 해도 한숨 돌릴 수 있을 거야.

명동이 말 잘 들었는데 뭐 안 주나?

까까 같은 거…

뽀뽀도 좋은데…

그렇게 날뛰는 개를
데려오면 어떡해?!

놀라서 자빠질
뻔했잖아!!

죄송해요…
이 개를 키우게 된 지
얼마 안 돼서요….

그렇다고 그렇게
질질 끌려다니면
되겠어?

그러다 어린애들이
다치면 어쩌려고?!

개가 개지, 유기견이었으니까 뭐?

불쌍한 유기견 때문에 다치면 덜 아파?

지금은 아줌마가 개 목줄 잡고 있잖아!

그럼 제대로 꽉 잡아!

설이 보호자님,
이거 드세요.

괜찮으세요?

…네, 아까
보셨어요?

…개 산책시키는 게
쉽지 않네요.

그러게요….

설이 보호자님은
시바 애들도 있잖아요…
그 애들은 괜찮나요?

네…

그 애들은
제 아들이 전담해서
키웠었거든요.

그래서 교육이
잘 되어있어요.

아들이랑
계속 같이 살 줄
알고

다 떠넘겼던 게
후회되네요….

잘 좀
봐둘걸….

잘해주고 싶은데
어떻게 해야 할지
모르겠어요….

명동이 키운지 얼마 안 됐을 때의 나 같아…

제가 덜떨어져서죠. 뭐….

개 키우면 안 되는 사람한테 와서 명동이가 고생이네요….

멍더랜드 선생님, 상담하고 싶은 게 있는데요….

이이야아아아아

세상아, 기다려라.
내가 간다!!!

안 나가.
너 진정되면
나갈 거야.

빨리!
빨리!

세상이
날 기다려!

흥분한 상태에선
교육이 안 된댔어.

멍더랜드
선생님 팁

안녕?
세상아!!

내가 왔다!!

너 흥분할 때마다
멈출 거야.

???
??????

오늘따라
왜 이래!

선생님 추천
앞고리 하네스

여기서
당겨지면
밀린다…!!   이것도
밀당 놀이…!!

밀당 놀이는···!
나의 특기!!!!

누~가 이기나
해보자구.

받아주지 말자.

유기견
산책 교육이요?

명동이만큼
산책 교육이 잘 된 애도
흔치 않은걸요?

명동이와
하셨던 교육들은
해보셨나요?

몽실이 좀
쓰담해줘요.

명동이 보호자님은
'유기견' 케어에 너무
얽매어 계신 거 같아요.

계속 가야를
불쌍한
'유기견'이라고

특별 취급하면서
'차별'했어.

마음을 안 열었던 것은
나도 마찬가지였던 거야.

지금 가야는
불쌍한 유기견이 아니라

'우리 집 애'인걸!

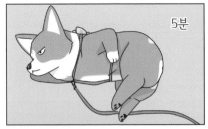

선 채로
죽었어??

언니야!!
죽었어?!!

허둥 지둥

나라 특제 간식
훈련용 ver.

그렇지~
언니한테 오면
까까 먹는 거야?

옳지~

옥♥

? ?

오물 오물

큰언니랑
같이 걸으면
하나씩 주지.

언냐~~ 너무
쪼딱지만큼이다!!

더 줘!!

언니랑 걸으면
좋은 일이
생겨요~

※강아지 쉬야는 강아지들의 SNS.

쉬
야

가야도
왔다 김!

나도 좋아요 눌렀어!

스스로 왔으니까 제일 맛있는 거!!

나라의 특제 간식 스페셜ver.

jack pot!!!!!

이렇게 간단한 걸 해보지도 않고 끌려다녔어.

이거라면 설이네도 할 수 있겠지?

더 주려나?!

언제 주려나?!

설이 몫으로 하나씩 더 사길 잘했어.

설이네에게
산책 교육을 가르쳐드려야지.

명동이를 막 키울 때
민영 언니에게 받았던 것들을

나도 설이에게
돌려줄 거야.

가야도 왔다 감!

가야 터치!

집중력 좋고~
습득력도 빠르고~

우리 가야가
이렇게 멋져요~

코 터치
완벽하네~~

어쩜 가야는
이렇게 똑똑하고
예쁠까~~

좋아요
좋아요
좋아요
좋아요
좋아요
아~주
좋아요

이 줄
정말 좋네요.

놓칠 위험도 없고
끌려가지도 않네요!

이런 게 있는 줄도
몰랐어요!

도움이 됐다니
다행이에요!

설이
터치 교육은
어떤가요?

그게….

척

2년 동안 공원에서 보고 배운 것들.

공원에서 뭘 본 거야!

힙한데?

저희 설이… 바보일까요?

그럴 리가요!!

TV 프로 보면 어떤 문제든지 뚝딱 고쳐지던데요.

방송은 시간이 정해져 있으니까 하이라이트 부분만 보여주는 거예요!

달그락
달그락

Dog food

헥
헥

머뭇

머뭇

으르르

혝
혝

※明洞來去 - 명동이 왔다감

명동이한테 입 터치를
배워버린 다나

좋아요

좋아요

좋아
요

아~주
좋아요

아…
안녕하세요.

설이 보호자님,
안녕하세요~

…

무슨 일
있으세요?
안색이…

그게
어젯밤…

푸르르르르

현미가 설이한테
달려들었어요….

둘을 떼어 놓으려고
찬물을 부었거든요.

둘 다
깜짝 놀랐을 뿐
다치지는 않았어요.

현미가요?
설이 다쳤나요?

그게…
제가 놀라서,

안 다쳐서
다행이네요.

현미의 그런 모습
처음 봤어요.

그 순하던 애가
이빨을 드러내고
순식간에 달려드는데….

너무 놀라서
한숨도 못 잤어요….

그럼…
그 후 설이는
어떻게 했나요?

…현미랑 설이를
같이 두면 안 될 거 같아서
설이는 화장실에 뒀어요….

하지만
계속 거기에 둘 순
없는 거잖아요….

현미도

물 맞은 후로
기가 죽어서 구석에서
꼼짝도 안 해요….

흑미도 현미가
걱정되는지 밥도 물도
안 먹고요….

안녕하세요!!

어디든지 날아오는─!

유기견이 곤란하면

멍더랜드 교육 담당
서진영입니다.

어찌어찌한 일이 있었는데 훈련사님을 소개해주실 수…

제가 갈게요.

직접 와주셔서
감사해요.

아니에요!
설이를 구조할 때
저도 민영 선생님
옆에서 실시간으로
보고 있었거든요!

그때 조마조마했는데
구조된 거 보고 얼마나
안심했는지 몰라요.

설이
입양해주셔서
감사해요!

입양 초기에는 누구나 우여곡절이 있기 마련이에요.

모두 다 그 우여곡절을 넘고 넘어,

적응할 건 적응하고 고칠 것은 고치면서 가족이 '되어' 가는 거죠!

유기견뿐만 아니라 펫샵에서 데려왔든 가정 분양을 했든 어느 개나!!

십 년을 키우셨던 분이나 처음 키우셨던 분이나요!

얼마나 노력하고 계신지 명동 보호자님께 많이 들었어요!

※산책 상담 때

문을 여니 그곳은

원래 이 정도는 아닌데 요즘 설이 산책 때문에 너무 힘들어서….

꿩!! 저기 꿩!!!

세상에….

죄… 죄송해요….

서울에서 마당 딸린 단독 주택…! 꿈의 집이네요!!

부럼! BULOVE

실례하겠습니다~

시바시바!

으르

우선 설이는 밖에 두고 집 안을 살펴볼게요.

저도 명동이랑 같이 밖에 있을게요~

♪

으르르르

휴…

설이가 없으니까 평화롭네요.

삽

삽

네…. 원래 저희 애들이 되게 착해요… 근데 그렇게 설이한테만….

이 애들은 갑자기 생긴 동거견으로부터 자기 것을 지키려고 노력하는 것뿐인 걸요.

이건 착하다 나쁘다의 문제가 아니에요.

설이 보호자는 선생님과 상담 중···

까~

까~

행동학적인 부분에서 봤을 때 애들의 중성화를 권해드리고 싶네요.

중성화요? 왜요?

아주 간략하게 설명하자면….

일반적으로
수컷을 중성화시키면
성호르몬이 감소해서,
공격성이 줄어들
가능성이 커요.

암컷의 중성화는
수컷을 자극하는 발정기나
혹시 모를 임신도
방지할 수 있고요.

지금 상황에서
권유일 뿐
강요하지 않습니다.

병원에서
수의학적 설명을 듣고
결정하셔도 됩니다.

잠은 애들과
같이 주무세요?

네,
현미와 흑미는
여기서 같이 자요.

여기
우리 자리♥

시바견들이 설이를 여기로 몰더라구요…

어제 현미가 달려든 후론 설이는 화장실에 두고 있어요.

으르르

설이 자리★

이 방은?

아빠 방

그 방은 쓰면 안 돼요. 죽은… 아들 방이에요.

아… 네.

물과 사료 그릇은 하나인가요?

항상 이렇게 두시는 거구요?

네, 애들 배고프면 안 되니까 항상 가득 채워두고 있어요.

집 안에 애들이 싸울 요소가 많네요…

제일 먼저 물건과 공간을 나눠야겠어요.

설이를
밖에 두죠!

밖에요?

그렇다고 완전히
마당견으로 두라는 건
아니고요.

내거
찜

날씨가 안 좋거나
기온이 떨어질 때는
집에 들이세요.

설이가
집에 들어올 때는
시바 애들은 안방에,
설이는 거실로.

시바견들이
밖으로 나갈 때엔
설이는 집 안에
들이는 식으로

한 공간에
안 두는 겁니다.

안전하게 공간을
분리시켜놓고
천천히 친해지는
교육을 하도록 해요.

옥상은
추락 위험이 있으니
마당에 두도록 하죠.

하지만
마당은….

우와
사마귀 크다.

어 흥!

뜨억!!
사마귀가
난다요!!!!

두 분 다….
이런 일까지 하게 해서
죄송해요…!!

아니에요.

우리가 가면
이거 이분 혼자서 뽑을 텐데
어떻게 그냥 가.

나중에 가야랑
놀러 와도 될까요?

그럼요!

환경 개선만 해줘도
문제 행동이 개선되는
경우가 많아요.

하루 종일
청소를 하거나
하루 종일 견사 수리만
하고 올 때도 있….

뭉클.

애들이
밖에서 끙쉬를
해서….

언제든
야외 배변!!!
부러워!!!

부럽!
BULOVE

저희 애들도
야외 배변하거든요.

태풍이 불어도
끙쉬 하러 나가야 해요.

비 오면
더 조아!!

명동이 꿍디에
무당벌레 붙었다~

명동이
달팽이 찾았어?

아휴~
이렇게 좋은 환경에
좋은 보호자라니,

설이랑 시바견들은
복받았네요.

백백
벅벅

설이가
도와줄 거야?

헷!

설이
착하네.

하~앙

뭐야, 이건.

풍작?!

아직도
많이 남았네요.

세 명이서
오늘 내에 다 하긴
힘들 거 같네요.

식혜
드세요.

제가 내일도
도와드릴게요.

미안해서…

우와,
맛있어!

신나는
모험을 했어.

전 명동이 잡느라
많이 뽑지도 못 했고,

명동이가
여길 너무
좋아하네요.

띵
동

띵동

네~
나가요~

대모님,
저희 왔어요~

대모님?

요즘 설이 보호자를
저렇게 부르더라구요….

……

명동이네랑…
멍더랜드 선생님?

안녕하세요.
몽이 보호자님,
닥수 훈수 보호자님.

어?
마당 풀 뽑고
계셨어요?

멍더랜드 선생님이랑
명동이네가 왜?

설이를 밖에 두려고
마당 정리 중이에요.

저분들이
도와주고 있어요.

네?
설이를 밖으로요?

네,
저쪽에 개집을 놔서
밖에서 지낼 수 있게
해주려고요.

잠깐만요
대모님,

설이 집 안에서
키운다면서요.

왜 이제 와서
땅콩이네처럼
말을 바꿔요?

시바견들은 안에서 키우면서
설이는 밖에서 키운다뇨?

지금 우리 설이,
유기견이라고
차별하는 거예요?

싱
긋

차별이 아니라
분리예요.

어젯밤
현미와 설이가
싸웠어요.

지금 상태에서
한 공간에 둬선
안 돼요.

유명한 훈련사가
원래 첫 합사할 때는
좀 아웅다웅하는 거랬어요.

개들 서열 싸움에
사람이 끼어들면
안 된다고요.

가족끼리
좀 싸울 수도 있지
아예 분리를 하면
어떻게 해요?

가장
쉬운 것부터 하면
무슨 발전이
있겠냐고요.

그리고
떠난 아드님
방도 있잖아요.

어차피 아무도 안 쓰는데
그 방 치우고 설이한테 주면…

개들뿐만 아니라
그 개를 키우는 사람도
생각하세요.

지금 상태로는
설이 보호자님께서
먼저 지치실 거예요.

그러다
설이 보호자님이 탈진하시면
이 애들을 대신 키워주실 건가요?

요구를 하려면
책임을 지세요.

책임을 안 지는
강요는 폭력이에요.

꿀꺽

선생님은
와… 완전히
설이를 밖에서 키우라고
하신 게 아니라…!

일단 분리해놓고
천천히 친해지게 하라고 하셨어요!
방법도 여러 가지 가르쳐주셨구요!

아웅다웅 정도가 아니에요….
현미가 이빨 드러내고
설이한테 달려들었어요….

이번엔 떼어냈지만
다음에도 잘 떼어놓을
자신이 없어요.

서… 설이가
유기견이라서
밖에 두는 게 아니라,

설이는 내 개니까
안 다치게 하려고
밖에 두는 거예요.

제발 말 좀 조심해.
그러다 크게 싸움 난다.

죄송해요….

제가
알지도 못하면서
급발진했네요.

땅콩이네
일도 있었고…
좀… 들떠있었어요.

설이를…
이 년 동안
아무것도 못해주고
지켜만 보다가,

이제서야 뭔가
해줄 수 있게 돼서요….

풀 뽑는 거 도와드릴게요.

안 그래도 해야지 해야지 했는데 날 잡았네요!

설이가 좋아하던 간식이요.

현미, 흑미 거까지 넉넉하게 챙겼어요!

다섯이서 후딱 끝내버려요!

이럴 줄 알았으면 더 빨리 올 걸 그랬어요.

나는 저분들이 껄끄럽지만,

또 놀래! 내려줘!

거의 매일 1~2시간씩 산책을 도와준다는 게 쉬운 건 아니지.

착하다, 나쁘다. 맞다, 틀리다.

딱딱 나눠지지 않아서 어려워….

어제 현미가 설이를
공격했대요ㅜㅜ
아직 합사는 일렀나 봐요.

설이가 다치면 안 되니까
일단 한동안 설이를
밖에 두기로 했어요.

설이 임시 집 둘 공간
만들려고 마당 풀
싹 뽑았네요.
아구 허리야ㅜㅜ

몽이 보호자님
닥훈이 보호자님
고생하셨어요~

원래 밖에 살던 애니까
괜찮을 거예요!
안 다치는 게
제일 중요하죠.

계속 설이 챙겨주셔서
감사해요ㅜㅜ

혹시 밖에서 쓸 수 있는
개집 있으신 분 없나요?
울타리랑 안전문도
있으면 좋을 거 같아요.

잠시만요~
다른 분들께도
물어볼게요.

혹시 오이마켓이나
중고마을에 있는지
봐볼게요.

저 울타리 남는 거 있는데 이거 어떤가요?

제가 다음 주 휴일에도 올게요.

무슨 일 있으면 바로 연락 주시구요.

설이가 유치원생도 아닌데 죄송해요….

괜찮아요!

그래도….

그럼 설이 보호자님,

저랑 한 가지만 약속해주세요.

네… 네!! 제가 할 수 있는 거라면 뭐든지요.

긴장

그리고 주변에
착한 사람들이
너무 많아.

게다가
'맡길 수 있다' 라는 걸
알아버렸어.

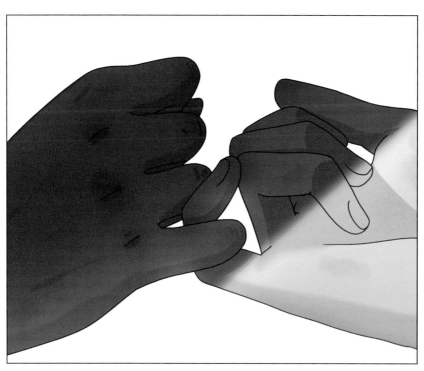

휴일까지 쓰시면서
도와주셔서 감사해요.

아니에요~~
완전 맛있는
식혜도 받았고~~

안 그래도 제가
계속 귀찮게 해드리는데

설이네까지 봐주신다니
너무 죄송하네요.

아니에요~

그래도 이게 일인데
돈도 안 받으시니
너무 죄송해서… 그게….

음….

제가 유기견이었던
두나를 입양하고 나서
정말정말정말 힘들었어요.

저는 그때
훈련사 공부까지
하고 있었는데도요.

네?

워낙 힘들다 보니까
입양된 지 며칠 안 돼서
포기당한 아이들이 많아요.

유기견이
입양되는 것도
힘든데

입양은
스타트라인에 서는 거고
입양 후부터가
진짜 시작인 거죠.

저도 겪었던 일이고 공감해줄 수 있는데다가
훈련사니까,
입양 전과 함께 입양 후도 돕기로 했어요.
이게 저의 유기견 봉사인 거예요.
그러니까 돕게 해주세요.

그… 그래도 도움받는 입장에서 그게 당연하다고 받아들이는 건 좀 아닌 거 같아요.

그래서 저…

제가 선생님께 그림을 선물해도 될까요?

받고 싶은 그림이 있으면 말씀해주세요.

반
짝

정말요?!! 다나 작가님 그림?!! 완전 감사죠!!!

인기 작가님 그림!

인기 작가는요 무슨…

보호자들 사이에서 얼마나 유명하신데요~~

그림의 폭이 넓으셔서 반려견뿐만 아니라 여러 가지 주문도 다 받아주시고

반려견 초상화 하기 전에 이것저것 그림 외주를 많이 해봐서리…

상품도 다양하시고~

그때 여러 업체를 만나서리

작가님은 주문량 금방 차서 주문도 어렵고 돼도 대기 오래 해야 하고~~

주문 자체를 많이 안 받다 보니까···

추가금 낸다고 해도 안 받아주시고~

그런 분께서 그림을 선물해주신다니 영광이에요~~

산책 때문에 시간이 없어서···

나는야 인기작가

아휴~ 뭘요~~

말씀만 하세요~ 다~ 그려드릴게요~~

음... 모처럼의 기회인데 아껴둬도 될까요?

현미, 코 터치!

콕!

옳지!

나라의
특별 레시피!★
훈련용!

흑미,
코 터치!

개맛나!

역시
흑미, 현미는
금방 하네.

그에 비해
설이는…

설이
코 터치!

아니
그거 말고…

열심

열심

열심

열심

누가 공원에서
춤 연습을 했나…

이건가?

이건가?

뭘까?

굽신

굽신

150

같이 잘 살려고 하는 건데 왜 눈치를 봐.

자, 간식.

나라의 특별 레시피! ★ 훈련용!

너엽죽

이건 누가 공원에서 했던 걸까.

그렇게 맛있어? 하나 더 줄게.

쏙.

...

할짝

할짝

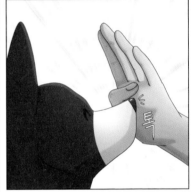

두고 보자아아!

우리야~
강산아~

우리, 강산이
선물 사 왔지롱~

우리, 강산이
궁뎅이를 책임져줄
푹신이들이야!

짜~잔

삑!!!

빡!!

엄마 아빠는
일하고 올 테니까
사이좋게 놀아~

이 포근함,

폭신

폭신

쿵 콩

폭신

이 감촉,

회복이 빠른 편→

공주 집에서
나가!!
나가!!

삐

삐

이
개똥딱지만한 게!!

까

악

오오옭?!!

강산아!!
저거 조져죠!!

한 번만 더 까불어봐,
콱!!!

개노잼

168

169

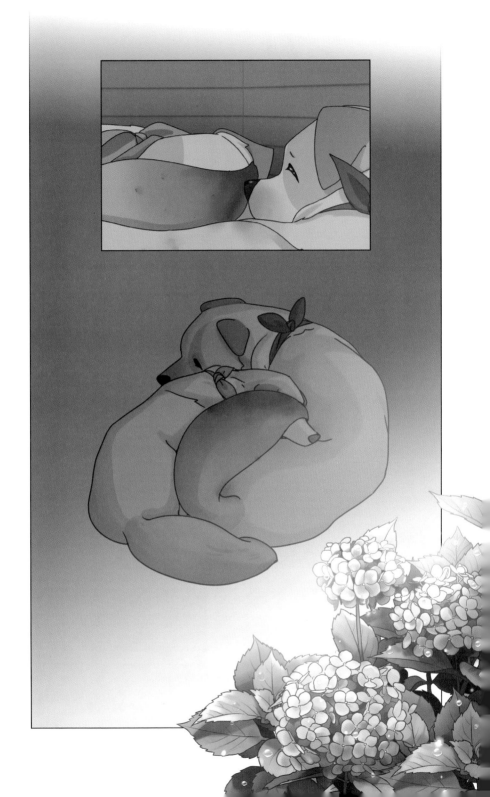

강산이 너 인마!!!

뭐 했길래 너만 그 꼴이야!!

밖에 문이 좀 열려있던데 나갔다 왔나 봐.

이 녀석!! 위험하게! 문단속 철저히 해야겠어.

강산이 너만 목욕할 줄 알아!

제작지원

Myeongdongne
love&peace

빠

내가 못~~ 산다~~

과일 드세요!

설아
안 돼.

사과
사과!

움찔

손님들 계시잖아.
그동안만 같이
집에 있자. 응?

이모들도
설이 좀 보자.

현미, 흑미는
이모한테 오자~

설이 어때요?
밖에 있다고
외로워하거나
하진 않아요?

제가 보기에는
괜찮은 거 같아요.

밖에서
혼자 탐험하면서
잘 놀아요.

시바 애들도
집에서
편히 쉬구요.

원래
밖에 살던 애라 그런지
편해 보이더라구요.

이번 주 주말에
현미, 흑미부터
중성화시킬 거예요.

멍더랜드 선생님하고
명동이네가
도와주시기로 했어요.

두 분께서
평행 산책도 도와주셔서
예전보다 현미가 설이한테
누그러진 거 같아요.

1인 1견 잡고
설이와 한 마리씩
평행 산책.

애들
상태 봐서
조금씩
거리를 좁힌다.

지금 생각해보니
세 마리를 붙여
산책하는 게 위험했네요….

산책이랑 교육 도와줘서 고마워요.

아니에요. 저희도 이번에 많이 배우네요.

여러분 애들은 산책 괜찮으세요?

우리 몽이는 나이가 많아서 삼십 분이면 녹초가 돼요.

8살

닥수, 훈수는 제가 안 해도 아들 부부가 산책시키네요.

설이 볼 때마다 간식★

그리고 애들 유치원 가면 오후에 시간이 비어요.

걔들이 벌써 그렇게 됐어?

쌍둥이 머스마들 키우느라 죽겠다고 했을 때가 엊그제 같은데!

그러게요. 몇 년 전만 해도 정신이 없었는데 말이죠.

그렇게 정신없다가 조용해지니까 더 허전한 거라구요.

그러게요. 몽이도 점점 더 조용해질 텐데 말이죠.

애들 클수록 더 그럴 텐데 뭘 벌써부터 그래?

쌕ㅡ

쌕ㅡ

우리 새로운 강아지 입양할까?

전엔 설이 이야기를 그렇게 하더니 뜬금없이 다른 개?

설이 구조할 때는 두 번째 강아지는 힘들어서 안 된다고 생각했는데,

설이가 입양 가서 잘 지내고 있는 거 보니까 나도 할 수 있겠다 싶더라고.

안 그래도 이 애가 굉장히 눈에 밟혔거든.

멍더랜드

안아주세요 ♥

좋아요 33개

몽실이의 가족을 구합니다.
2살 추정, 여아, 실버 푸들, 4Kg ...더보기

#멍더랜드#유기견입양#유기견#임시보호

내 팔 잡고 자기 데려가라고 우는데 너무 마음이 아팠어.

그럼, 여동생 오면 잘 돌봐줘야 해?

우리 아들들, 잘 돌볼 수 있지?

우리 왕자들이 찬성하면 나도 찬성이야.

얌

야호!!

멍더랜드 선생님이 엄청 기뻐하겠지?

오늘은 축하 외식이야~~~

오는 길에 새로운 강아지가 쓸 물건들 사 오자~~~

그때부터 선생님이랑 서먹해졌었는데.

이제 다시 사이가 좋아질 거야.

당일 입양은 안 됩니다.

그리고 몽이네에 몽실이는 추천해드릴 수 없네요.

아니, 왜요?

몽실이도 저 좋아하잖아요?

몽실이는 애정 결핍이 심해요.

자신만 봐줄 때는 세상에서 제일 순한 아이지만,

중간에 다른 것에 관심을 빼앗기면 그 상대에게 공격성을 보이기도 해요.

그럴 수도 있다~라는 가설뿐이잖아요.

우리 집에서 얼마나 몽이를 애지중지하며 키우는지 선생님도 잘 아시잖아요.

왜 최악의 상황으로 겁을 주세요?

저흴 너무 과소평가하시는 거 아니에요?

…그러시다면

가족들과 상의 후 다시 방문해주세요.

멍더랜드 입양 조건

1. 중성화, 마이크로칩 삽입은 필수입니다.

2. 입양 책임비는 10만 원입니다.
※ 파양 시 반환하지 않습니다.

3. 주 보호자의 연령은 25세 이상이어야 합니다.
만일 입양 신청자의 연령이 65세 이상일 경우
공동 입양자가 있어야만 입양이 수락됩니다.

4. 최소 3회 멍더랜드에 방문하여
입양 희망견과 직접 만나야 합니다.

5. 입양 날, 가족 모두 오셔야 하며
주 보호자의 신분증 사본을 지참해주세요.
※ 입양 날 가족 사진을 촬영합니다.

5. 입양 후 1년간 한 달에 2번 이상
입양견의 근황을 알려주셔야 합니다.

입양 절차

입양 희망견 만나기 -〉

입양 상담 후 신청서 작성 -〉
(신청서를 제출하여도 승인 거부가 될 수 있습니다.)

입양 최종 상담 후 심사 대기 -〉
(필요시 가정 방문을 할 수도 있습니다.)

입양 승인 후 입양 책임비 입금 -〉

입양 날짜 확정 및 픽업 -〉

입양 후 소식 전하기

입양 후 별도의 연락 없이 소식을 제공하지 않을 경우,
법적 책임을 묻겠습니다.

이거 다 해도 입양이 안 될 수 있다고요?

우리 애들이 얼마나 기대하고 있는데….

우리 가족은 오늘 개 온다고 용품들도 다 사놨단 말이에요!

깜짝

…왜,

당연히 데려갈 수 있을 거라고 생각하신 거에요?

우리가 일, 이 년
본 사이도 아니고
저희 집같이 좋은 입양처가
어디 흔해요?

솔직히 말해봐요.
설이 구조할 때 나한테
빈정 상해서 그렇죠?

저희 유치원에선
그 누구라도 입양 절차는
똑같이 밟으셔야 해요.

설령
대통령이라고
할지라도요.

툭 툭

이 입양 절차가
무례하다고요!

문제견인 거 알고도
입양해주겠다잖아요!

우리 집처럼
개를 잘 키우고 있는
집을 걸러내면
누가 재네들을
입양해요?

아무리
선생님이 개를
잘 돌본다고 해도

한 사람이
한 마리 돌보는 것만큼은
못 하죠!

Staff Only

선생님 고집이
애들 입양 길 막고 있는 거
아니에요?

195

내가

내가 어떻게
살린 아이들인데.

…저는
저희 아이들…

불쌍한 유기견
봉사하는 마음으로
데리고 있어줄 분이
아니라,

가족으로서
함께 웃으며 살아줄 분을
기다리고 있는 거라서요….

가족을 입양하는데
이 정도도 힘들다고
하시는 분이

입양 후의
수많은 힘듦을
이겨내실 수 있을 거란
믿음이 안 가네요.

1주일 후

어?

언니···
나 지켜보고 있는데···
간식 안 주나···?

왜 저렇게
모여있지?
무슨 일 있나?

안녕하세요~

안녕하세요.

무슨 일 있나요?

명동이네, 여기 와서 이것 좀 봐요.

예쁜 아가씨!

저희 가야가 아직 사람을 무서워해서요. 여기에서 볼게요~~~

뉴페이스, 뉴페이스!

몽이네 새로 강아지 입양했대요~~

이름은 뭐예요?

푸들…! 강아지!

앙 앙

이름은 털 뭉치를 줄여서 뭉치예요~

어느 브리더한테 데려오신 거예요?

네?

저도 푸들 둘째 찾는 중이잖아요.

저번에 둘째 데려올 거면 유기견 아니면 전문 브리더한테 데려오라고 하셨잖아요.

역시 전문 브리더는 교배를 막 안 시키니까 번번이 분양 순위를 놓쳐요.

거긴 항상 새끼가 있는 게 아니니까 할 수 없죠.

어느 브리더예요?

저도 소개해주세요.

그… 그게….

※전문 브리더 - 소규모로 한 종만 전문적으로 번식시키는 곳.

나라에서 허가받은 캔넬에서 태어난 아이들을

분양하는 곳에서 데려왔어요!

거기가 어디예요? 신종 브리더인가요?

그… 저 아래 사거리 노란 간판….

거기… 펫샵이잖아요.

펫샵에서 데려오는 게 위법은 아니잖아요?

페… 펫샵이긴 하지만 강아지 공장에서 데려오는 게 아니라

나라에서 허가받은 농장에서 데려온 애들을 분양하는 곳이래요!

뭐… 누가 뭐래요.

그냥 몽이네가 그랬다니까 의외라서요.

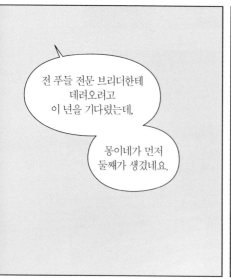

전 푸들 전문 브리더한테 데려오려고 이 년을 기다렸는데,

몽이네가 먼저 둘째가 생겼네요.

저도 원래는 유기견 데려오려고 했어요!

애견용품도 다 사놓고
멍더랜드까지 갔는데
거기서 안 보낸다잖아요!

애들은 강아지 온다고
잔뜩 기대했다가 실망해서
몇 날을 울어대는데
어떻게 해요.

빨리
데려오려다 보니까
이렇게 된 거예요.

멍더랜드에서요?
왜요?

그냥 저한테
보내기 싫은 거죠.
설이 구조 때
좀 싸웠거든요.

입양 서류를 봤는데
그건 또 얼마나
복잡하던지요.

중성화,
내장 칩 필수,
최소 세 번 방문에

집까지
확인한다고 하고
돈까지 내라고
하다니까요!

네?!
돈을 내라 한다구요?

집 방문까지 한대요?
왜요?

그… 그러니까요!
집 봐서 가난하면
안 보낼 건가요?

…! 네?

뒤에 있는 거 깜빡했네.

진짜로 유기견을 입양하고 싶었으면

펫샵이 아니라 보호소를….

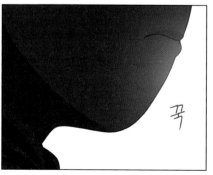

꾹

이곳에 사는 한
난 계속 이 공원으로 산책을 올 거고
계속 저 사람과 마주칠 거야.

싸우기 싫어…

…아니에요.

가야 지금 너무 행복해 보이는데
그냥 여기서 계속 키우시면 안 돼요?ㅜㅠ ♡
답글쓰기

이렇게 밝게 웃게 되다니 기적 같네요
이미 가야는 여기가 집인 거 같은데요?♡
답글쓰기

예전의 그 강아지가 맞나요?
두 마리 임보하신 거 아님? ㅋㅋ대에에박
답글쓰기

찔러보기마저
없네….

툭

오독

오독

오독

입양 문의가
거의 없는데도

기운 빠져….

뽕뽕

입양 조건을
까다롭게 밀고 나간다는 게
얼마나 대단한 일인데
뒤로 그런 소리나 듣다니….

엇!!!
민영 언니!!
이 시간에?!

민영언니♥

명동이네입니다!
무슨 일이세요?!
민영 언니!!!

밤늦게
미안해요,
다나 씨.

왜 저래?

그런 게 있어.
비타민C 같은 거.

뽕뽕

214

저…
혹시 내일 시간
되세요?

없어도 있어요!
무슨 일이세요?

백설이가
자꾸 혈토를 해서요.

큰 병원에
가봐야 할 거 같아요.

백설이가
트라우마 때문에
폐소공포증이 있어서
이동장에 못 들어가요…

그런데 대중교통은
이동장에 머리까지
들어가야 하잖아요.

그럼 제가
모실게요!!

혈토라니!!
큰일이네요!!

펫 택시도 찾아봤는데
오늘은 늦어서
예약을 할 수가 없네요….

그럼, 제가
데려다 드리면
되겠네요!!

염치없지만
내일 병원까지
데려다주실 수…
있을까요?

당연하죠!!

이동은 제가!
전부! 책임질게요!

I want you
pick me up!

내일 경과 보고
또 병원 갈 일 있으면
제가 다 모실게요!!

제가
멍더랜드 아이들의
발이 되겠습니다!!!

고마워요….

계속 다나 씨에게
신세 지게 되네요….

애들 돌보는 일인 걸요.
제발 저한테 편하게
말해주세요.

제가
도와드리고
싶어요.

미안해요,
언니….

그때
아무 말도 못 해서
미안해요.

216

살구는 관절 영양제도 먹여야 해요.

캡슐은 주면 안 먹으니까 뿌려주세요.

훈장이는 변비니까 식후에 이 유산균 먹여주시고요.

진영 선생님, 오늘 혼자서 유치원 괜찮으시겠어요?

네…. 오늘 동원하는 애는 춘향, 몽룡이랑 주주뿐이라서 괜찮을 거예요.

2년간 뷰~티풀 하였습니다~

선생님이 고생이시네요. 한숨도 못 자셨죠?

애가 아파하는데 제가 어떻게 자겠어요….

백설이는 상태가 어떤가요?

어제 밤새 두 번 토했어요. 변은 아직이구요.

그럼, 잘 부탁드릴게요.

네, 다녀오세요.

몽실이도 데려가!!

도와줘서 고마워요.

아닙니다~~

제가… 도저히 운전은 못 하겠더라고요….

운전 강사님이 전 운전하지 말래요.

면허 시험 5번 떨어짐.

사람이 악한 것도 있는 거지요.

백설이 상태가…

대학 병원까지 가야 할 정도로 심각한 건가요?

예전에 가봤는데…

동네 병원에서는 혈토의 원인을 찾지 못하더라고요….

네? 예전? 이번이 처음이 아닌가요?

네….

221

설이
입양 갔을 때…

일주일 전…

그리고
어제…

이렇게…
세 번째네요.

세 번째요?

제가 봤을 때엔 항상 건강해 보였는데요….

입원해서 수액 치료를 하면 금방 괜찮아지거든요….

처음 혈토 했을 때 그 병원에서 할 수 있는 검사를 다 했는데,

전부 이상 없음이 나왔어요.

일단 입원해서 수액을 맞히니 혈토가 멎고 변도 정상으로 돌아오더라구요.

후에도
잘 먹고 활발해서
일시적인 것인 줄
알았어요….

그래도 혹시 모르니까
그 후로 저희 집에
데려와서 돌봤지요.

그러다
이 주 전에 또 혈토를
하기 시작하고,

이번에는
다른 병원 가서 검사했더니
또 이상 없음으로
나왔어요.

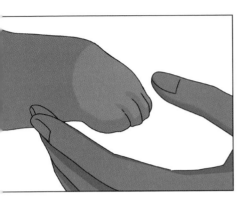

이 시점에서
백설이에게 들어간 돈은
300만 원이 넘었지만,

원인은 불명이었다.

그래서
백설이는?

혈토랑 혈변은
멈춰야 하니까
일단 입원시켰어.

다 함께
산책이야~~~

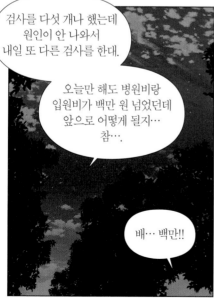

검사를 다섯 개나 했는데
원인이 안 나와서
내일 또 다른 검사를 한대.

오늘만 해도 병원비랑
입원비가 백만 원 넘었는데
앞으로 어떻게 될지…
참….

배… 백만!!

원인이 안 밝혀지면
또 재발할 거 아냐… 그럼
또 이 금액이 나올 거고….

그래서 이번에
검사할 수 있는 건
다 해보시겠대.

아… 앞으로
더 나올 예정이란 거지….

선생님 정말 힘드시겠다…. 백설이도 신경 써야 하고 나머지 네 마리도 돌봐야 하잖아.

유기견 임시보호 정말 힘들구나.

이건 유기견의 문제가 아냐.

당장 명동이나 가야한테도 일어날 수 있는 일이야.

그럼 우린 어떻게 해야 하지?

에이,
걱정하지 마.

설마 우리한테
그런 일이 생기겠어?

일어난 후엔
늦으니까,

누가

덕진이한테
그런 일이 일어날 거라고
생각했겠어.

걱정은 해도
해도 부족해.

개를 키우면 키울수록 무서워져.

그러게 말이야.

앗!! 민영 언니!

민영언니♥

네, 명동이네입니다!

전환 빨라.

또 밤늦게 미안해요.

근데 다나 씨께도 알려드려야 할 거 같아서요.

네?! 무슨 일 있어요?!!

백설이
원인 나왔다구요?
지금?

스피커!
스피커!

결과가
늦게 나오는 검사가 있었는데
방금 병원에서 전화 왔어요!

장중첩이라고
장의 일부가 다른 장 안으로
말려들어가 있다고 하네요.

그게 그간의
혈토 원인일 가능성이
크다고 하네요.

내일 수술 동의서 쓰고
바로 수술 들어가려구요.

바로 수술이요?
백설이 많이 약해져있던데
괜찮을까요?

네.

이건
응급 질환이라 빨리
수술을 해야 한대요.

배를 여는
크고 위험한
수술이라는데,

기뻐하다니
참 못됐네요…

못되긴요!!
백설이도 계속 재발해서
입원하는 것이
더 힘들 거예요.

맞아요,
맞아요!!

민영 언니는
좋은 보호자세요!

그럼요,
그럼요!

…그랬으면
좋겠네요.

그럼, 내일
병원까지 모실까요?!

아뇨,
강아지도 없으니까
저 혼자 다녀올게요.

나중에 백설이
퇴원할 때 부탁드릴게요.

넵!
내일 수술 경과
알려주세요!

백설이가 언제
아플지 몰라서 계속 집에
데려와서 돌봤더니…

허전해….

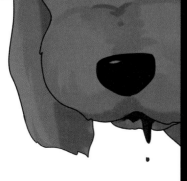

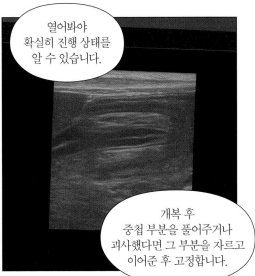

열어봐야
확실히 진행 상태를
알 수 있습니다.

개복 후
중첩 부분을 풀어주거나
괴사했다면 그 부분을 자르고
이어준 후 고정합니다.

그간의 혈토와
혈변의 원인이
이게 아니었다고 해도

이대로면 장중첩이
계속 진행되기 때문에
수술을 하셔야 합니다.

만약 수술 후에도
그 증상들이 나타난다면
다음 검사를 하죠.

장중첩은
왜 생긴 건가요?

제가 케어를
잘못한 건가요?

이물이 들어가서
그렇게 되는
경우도 있고,

장염이나
기생충 감염, 이물 섭취,
종양, 신경성 등 원인은
여러 가지입니다.

다만 백설이는
이물질도 보이지 않고
다른 검사에서는 모두
깨끗했지요.

이게 딱
원인이다 하고
말씀드릴 수가
없겠네요.

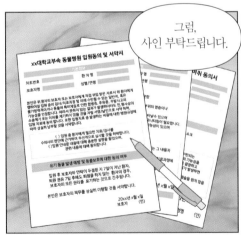

그럼,
사인 부탁드립니다.

유기 동물 발생 예방 및 동물보호에 대한 동의 여부

입원 후 보호자와 연락이 두절된 지 7일이 지난 환자,
퇴원 권유 7일 후에도 퇴원을 하지 않는 환자의 경우,
보호자의 모든 권리를 포기하는 것으로 간주됩니다.

본인은 보호자의 책무를 성실히 이행할 것을 서약합니다.

20xx년 x월 x일
보호자   (인)

결국 장중첩의 원인도 불명.

면세금액 :	270,000
과세금액 :	1,600,000
부가세 :	160,000
청구금액	**2,030,000**

백설이를 입양해줄 사람이 있을까?

백설이 수술 들어가기 전에 기운 날 만한 말 좀 해주세요.

엄마가 면회 오셨네. 백설이 좋겠다.

※폐소공포증 때문에 대형견 입원실

백설이 입원해 있는 동안 어땠나요?

별일 없이 잘 있었어요.

그래도 역시

에헤헤

엄마를 만나니까 표정이 다르네요.

아마도 나는,

어떤 사람이 와도
백설이 입양자로는 성에 차지 않겠지.

백설이의 수술은 4시간이 걸렸고,

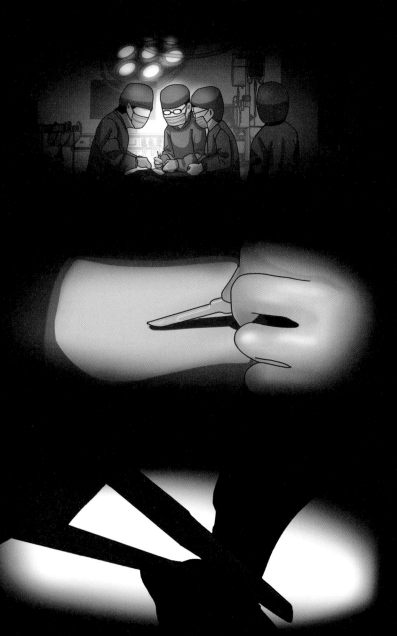

장의 괴사된 부분을
잘라냈어야 했다.

수술비와 3일 후 경과를 보기 위한
검사 및 그 외의 케어비 등을 합쳐

좋아요 33개
백설이의 가족을 구합니다.
2살추정, 남아(중성), 말티즈, 3KG ...더보기

삭제 확인

이 게시물을 삭제하시겠어요?

삭제

삭제 안 함

좋아요 33개

백설이의 병원비는
800만 원이 넘었다.

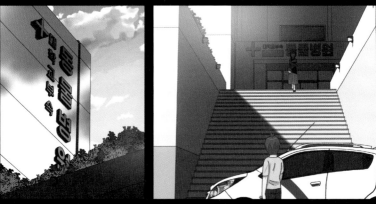

그 후 백설이는

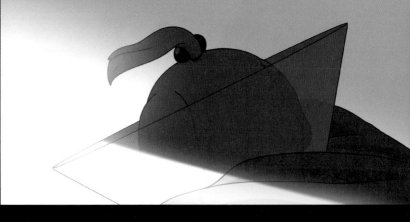

아니, 노이 동생 노아는

엄마 품에 안겨 퇴원했다.

꿀럭.

풍 춧!

제발 이걸로
끝이었으면 좋겠네요.
제 심장이 아파요.

헷!

기원하겠습니다….

멍더랜드

백설이 입양되었습니다.
입양자는 저입니다.^^
앞으로 백설이는 노이 동생 노아가 됩니다.
유기견이 아닌 반려견으로서의
시작을 축하해주세요.

#입양#반려견

노아 수술
1주일 후

노아 실밥
다 풀었습니다~

상처 부위도 잘 아물었어요.

그래도 혹시 핥으면 며칠은 넥카라 더 해주세요.

저희가 다른 동물 병원에 가서 불편하신 건 아니지요…?

아닙니다!

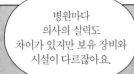
동물병원

병원마다 의사의 실력도 차이가 있지만 보유 장비와 시설이 다르잖아요.

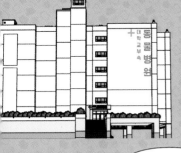
대학교부속 동물병원

여기저기 다녀보시고 아이의 상태에 따라서 이용하시는 게 좋아요.

아이가 건강한 게 제일 중요한걸요.

수술 후에 별다른 일은 없지요?

우리 아빠야!

네, 약간 컨디션이 떨어져 있지만

그 후에 토도 안 했고 밥도 잘 먹어요.

우리 엄마야!

마음에 걸리는 게…
두 달 전 노아가 처음으로
혈토를 했을 때

검사에서는
장중첩이
아니었거든요.

계속 재발하고
이번에 수술까지 하면서
노아가 많이
쇠약해져있어요.

지금 혈토가 재발하면
많이 위험할 겁니다.

유기견이었다가
입양된 아이는
또 버려질까 봐
아픈 걸 숨기는
애들이 있으니

잘
지켜봐주세요.

이런, 너무 많이
담았네.

안 돼, 살 안 찐다고
조급해 하면…!

과식이
더 안 좋아!

노아 맘마~

잇몸 색도 분홍색이고
심박수도 괜찮아.

변도 괜찮고
토도 없어.

노아야, 아파?

엄마 봐봐!

아휴…
심장아…

맛있쪄!

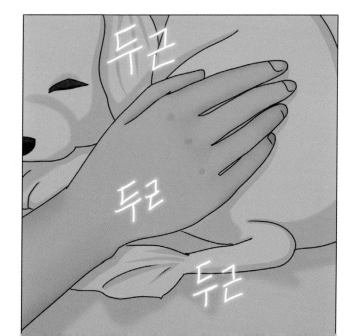

괜찮아.

괜찮을 거야.
비싼 수술도 했는걸.

노이가
그렇게 죽어서

과민해진 거뿐이야.

노아 수술
2주 후

민영 선생님,
열 있으신 거 같아요.
괜찮으세요?

요즘… 노아한테
온 신경이 곤두서있어서
잠을 통 못 자네요….

제 눈에는
건강해 보이는걸요.
괜찮을 거예요.

평소에 컨디션이
좋을 땐 꽁지 끝이
오십 도 이상 올라가있는데
요즘엔 오 도 밖에
안 올라와 있어요.

아…
그렇군요.

수술한 지
2주나 지났는데
살이 안 붙어요….

노아가
항상 아무런 징조 없이
갑자기 혈토를 하니까
불안하네요….

증상이 딱히 없으니 병원 가기가 애매하네요.

또 온갖 검사를 할 텐데요…. 그럼 또 비용이….

전 선생님이 더 걱정되네요.

노아도 노아지만 선생님이 아프시면 나머지 아이들은 어떻게 해요.

그래도 다다음 주에 수술 결과 검사가 있잖아요.

노아 몸에 무슨 일이 있으면 그때 밝혀지겠죠.

노아, 끙아!!

실수로라도 민영 쌤 사진첩은 보지 말아야지.

날짜별로 저장해뒀다가 병원 선생님께 보여드려야지.

몽실이 빗겨주고 있었잖아!!

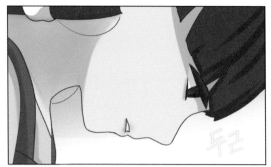

손이 떨려서
사진이 흔들려….

엄마랑
코 할거야?

두근

두근

두근

두근

두근

두근

두근

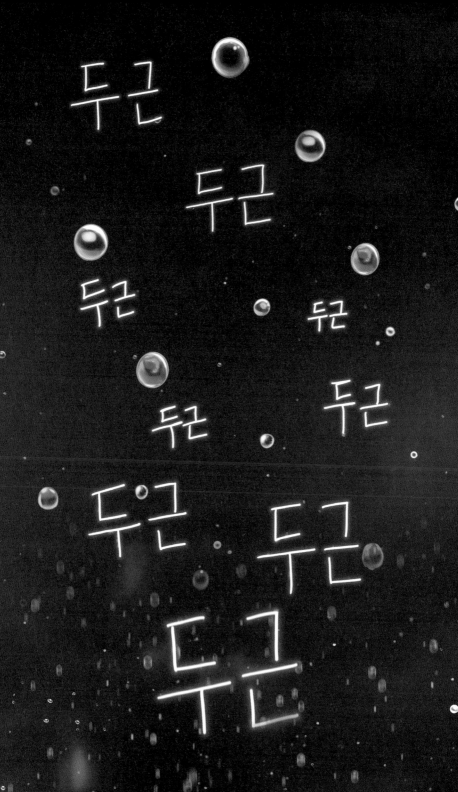

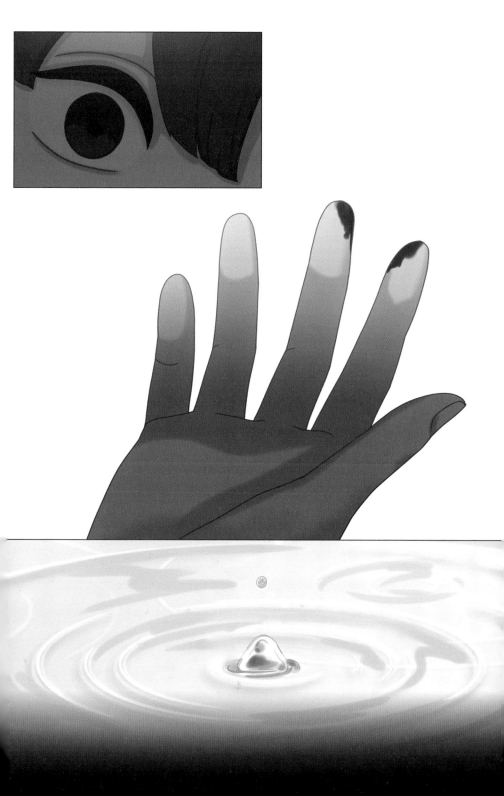

개에게

한 가지 말을
가르칠 수 있다면

'아파요'란 말을 가르치고 싶어.

하지만 걔들은 너무 상냥하니까

정말 죽을 만큼
아플 때는

절대 그 말을
하지 않겠지.

죄송해요, 진영 선생님.
저 오늘도 자리 비워야 할 거 같아요.

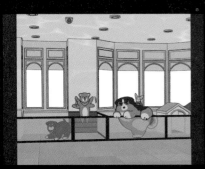

아이들 밥 주고 청소하고 갈게요.
오후에는 들어올 수 있을 거예요.

앞으로는
자리 비울 일 없을 거예요.

네, 괜찮아요. 근데 무슨 일이세요?
노아한테 무슨 일 생긴 거 아니죠?

밤 사이에
노아가 떠났어요.

멍더랜드

어젯밤 노아가
원인불명의 혈토로 제 품 안에서 떠났습니다.

댓글이 허용되지 않은 게시물입니다.

멍더랜드에
글 올라왔네.

띵동

멍더랜드

♡ ○ ◁   🔖

훈장이의 가족을 구합니다.
8살, 남아(중성), 슈나우저, 6kg, 매우 건강
매우 점잖고 예의 바릅니다.
사람과도 강아지와도 친화력이 좋으며
엉덩이 토닥토닥을 좋아합니다. ...더보기
#멍더랜드#유기견입양#유기견#임시보호

멍더랜드

♡ ○ ◁   🔖

몽실이의 가족을 구합니다.
3살 추정, 여아, 실버푸들, 4kg
사람을 매우 좋아하며 강아지와는
데면데면합니다.
사람에게 안겨있는 것을 좋아합니다.
...더보기
#멍더랜드#유기견입양#유기견#임시보호

멍더랜드

♡ ○ ◁   🔖

살구의 가족을 구합니다.
3살 추정, 여아(중성), 치와와, 2kg, 관절 약함.
강아지와는 잘 지내나 사람을 매우
무서워합니다. 겁과 식탐이 매우 많습니다.
...더보기
#멍더랜드#유기견입양#유기견#임시보호

멍더랜드

♡ ○ ◁   🔖

행자의 가족을 구합니다.
1살, 여아, 믹스, 20kg 아직 성장 중. 매우 건강.
사회성, 친화력, 예의, 듬직함, 포용력
모든 면에서 완벽합니다. 최고입니다.
...더보기
#멍더랜드#유기견입양#유기견#임시보호

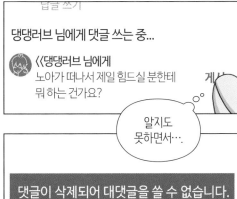

이런 댓글은
금방 삭제되긴 하지만,

삭제된다는 건
민영 언니가
읽었다는 뜻인데,

언니 마음은
얼마나 괴로울까….

멍더랜드
다나 씨 안녕하세요.

까똑

앗 언니!
노아가 가고
처음으로 온
연락!

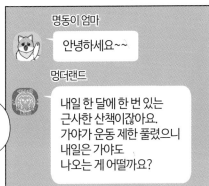

명동이 엄마
안녕하세요~~

멍더랜드
내일 한 달에 한 번 있는
근사한 산책이잖아요.
가야가 운동 제한 풀렸으니
내일은 가야도
나오는 게 어떨까요?

명동이 엄마
그래도 돼요?

멍더랜드
다양한 이벤트를
겪어봐야 가야의 여러
면을 볼 수 있고 입양
홍보에 좋으니까요^^

명동이 엄마
저야 좋죠!

멍더랜드
그럼 첫 산책은 가야,
행자랑 살구하고
2부를 명동이랑,
훈장이랑 몽실이로
할까요?

명동이 엄마
네
좋아요~

멍더랜드
그럼
내일 봐요^^

안녕하세요~

안녕하세요~
여기 자리
깔아놨어요~

애들이
삐까번쩍하네.

가야가
사람하고 낯을
좀 가리네요.

289

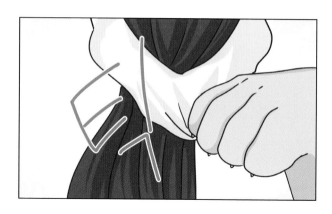

어머나.

엄니?
(엄마 닮은
언니)

어머나?

엄니다,
엄니야.

너 머리 긴 사람
좋아하는구나.

전 주인이
머리가 길었니?

긴 머리?

아!!

가야가 왜 나만 좋아하냐고?

운명의 데스티니인 거지.

나라가 많이 실망하겠는걸.

가야 입양 문의는 좀 들어오나요?

아뇨, 완전히 전멸이에요.

그래요? 가야는 변화가 드라마틱해서 입양 문의가 많을 줄 알았어요.

그게… 그래서인 것도 같아요.

드라마틱하게 좋아졌다 보니까

'가야가 그 집에서 행복해 보이는데 그냥 입양하세요.' 라는 분위기가 생겼어요.

어머나…

…가야가 사랑스럽지만…

현실적으로 생각해서
전 명동이와 가야, 두 마리를
이십 년 동안 건사할
자신이 없어요.

이 상태에서 입양하면
쉽게 강아지를 사 오는
사람들과 뭐가 다르나요.

멍더랜드
애들은요?

새로운 유입이
없다 보니까

입양 문의도
뚝 끊겼어요.

누가 입양 홍보라도
대신해줬으면
좋겠네요….

멍더랜드 계정에
가야 거 퍼 갈게요….

저도 멍더랜드
퍼 갈게요….

안녕하세요.

오랜만이에요,
멍더랜드
아이들도 안녕~

으익.

안녕하세요.

말티즈 애가
죽었다면서요?

수술이
잘못된 거에요?

글쎄요. 수술하고
이 주 후에 갔으니 다른
문제였을 거 같은데

끝까지 원인은
찾을 수 없었네요.

이미 뼈도 뿌렸으니
저도 마음속에
묻으려구요.

입양하자마자 죽었으니 얼마나 마음이 아파요…. 힘내요.

괜찮아요, 힘내야죠.

괜찮아 보여서 다행이네요.

난 우리 애 죽었으면 억장이 무너졌을 텐데.

SNS에 해명 글 좀 쓰는 게 좋겠어요.

돌보던 개가 죽었는데 너무 멀쩡하니까 별별 소리가 다 나오잖아요.

4권에서 계속됩니다

개를 낳았다 3
시즌II 이별부터 만남까지

2024년 4월 15일 제1판 1쇄 인쇄
2024년 4월 20일 제1판 1쇄 발행

지은이 | 이선
원작 | NAVER WEBTOON <개를 낳았다>
발행인 | 오태엽
편집국장 | 강우식
편집담당 | 김예영
전략마케팅팀 | 김정훈 이강희 정누리
경영기획팀/제작 | 박석주
디자인 | (주)디자인프린웍스

발행처 | ㈜서울미디어코믹스
등록일 | 2018년 3월 12일
등록번호 | 제2018-000021
주소 | 서울특별시 용산구 만리재로 192
전화 | (02)2198-1658 (편집), (02)2198-1732 (마케팅)
FAX | (02)2198-1699
인쇄처 | (주)한산프린팅

ISBN 979-11-367-8523-7 07810
        979-11-367-8177-2 (SET)
©2024 이선 / (주)서울미디어코믹스